GROLIER

Dépôt légal 1er trimestre 2001
Bibliothèque nationale du Québec
ISBN 0-7172-3285-9

Disney

UN EMPEREUR NOUVEAU GENRE

Dans les profondeurs de la jungle, au milieu des montagnes et des rivières, s'élève le palais du jeune empereur Kuzco. Kuzco est riche et obtient toujours tout ce qu'il veut.

Kuzco est le dirigeant tout-puissant de tout ce qui l'entoure. Malgré tout, rien ne le satisfait entièrement. Ni la nourriture, ni les boissons, ni même les belles demoiselles qu'on lui présente comme épouses possibles !

Kuzco regarde les jeunes filles. « Vos cheveux... votre visage... beurk ! beurk ! beurk ! » insulte-t-il les pauvres jeunes femmes.

Lorsque l'empereur Kuzco n'est pas assis sur son trône à crier les ordres, Yzma, sa conseillère avide de pouvoir, le remplace. Yzma aimerait prendre le pouvoir. Comme toujours, son fidèle et bel assistant, Kronk, est à ses côtés.

Un jour, Kuzco trouve Yzma assise sur son trône. Il décide de la congédier.

« Tu es remerciée de tes services », lui dit-il, avec désinvolture.

Yzma est en furie !

Plus tard ce jour-là, un paysan nommé Pacha se présente au palais. Kuzco l'a sommé de faire le long voyage de sa lointaine demeure pour répondre à une seule question.

Kuzco montre à Pacha une maquette de son village sis au sommet d'une colline et lui demande de lui indiquer l'endroit le plus ensoleillé.

« Juste ici », répond Pacha, en pointant du doigt.

Kuzco sourit. « Je voulais seulement avoir l'avis d'un résidant avant d'approuver l'emplacement de ma piscine. » Puis il dépose lourdement une maquette de sa résidence d'été sur le village.

Pacha est estomaqué ! Kuzco va détruire son village. « Où allons-nous rester ? » proteste-t-il.

Voilà bien le moindre des soucis pour Kuzco.

Pendant ce temps, tapie dans son laboratoire secret sous le palais, Yzma élabore un plan pour se débarrasser de Kuzco. Elle et Kronk ont trouvé une fiole contenant un poison mortel. Yzma invite Kuzco à dîner ce soir-là. À l'arrivée de l'empereur, Kronk lui sert une boisson contenant le poison.

Mais l'empoté Kronk n'a pas mis la bonne potion dans le verre de l'empereur. Ce n'est pas du poison, mais une potion qui transforme Kuzco en lama aux longues oreilles !

Yzma reste figée à la vue du lama. « Assomme-le ! » dit-elle à Kronk. Puis elle lui ordonne de mettre le lama dans un sac et de s'en débarrasser.

Kronk traîne le sac jusqu'à une chute et le jette à l'eau. Mais un sentiment de culpabilité l'envahit soudain. Il récupère le sac et court dans la ville en se demandant quoi faire. Il dévale un escalier, trébuche sur un chat et échappe le sac. Le sac contenant Kuzco atterrit dans le chariot de Pacha. Le paysan s'éloigne avant que Kronk ait pu l'arrêter.

Chez lui, Pacha découvre avec étonnement un lama inconscient dans son chariot.

« D'où sors-tu, petit ? » demande Pacha en caressant la nuque de Kuzco.

Kuzco se réveille. « Ne me touche pas ! » hurle-t-il.

« Un lama diabolique ! » s'écrie Pacha.

« Où ça ? » demande Kuzco. Il voit alors son reflet dans l'eau et se rend compte que le lama, *c'est lui !*

« Calme-toi, lama diabolique. Je ne te veux pas de mal », lui dit gentiment Pacha.

« Mais qu'est-ce que tu racontes ? » crie Kuzco. « Eh ! Je te connais ! Tu es le paysan pleurnichard ! »

« Empereur Kuzco? » murmure Pacha, étonné.

Mais Kuzco croit que Pacha essaie de le duper. « Je me rappelle t'avoir dit que je voulais construire ma piscine à l'endroit où se tient ta maison. Tu es devenu furieux et — c'est ça ! — tu m'as transformé en lama ! Et tu m'as kidnappé ! » dit Kuzco.

Kuzco veut retourner au palais royal, croyant que Yzma pourra lui rendre sa forme humaine. Il ne se doute pas que sa conseillère veut le tuer ! Kuzco ordonne à Pacha de le conduire au palais.

« J'accepte, si vous construisez votre résidence d'été ailleurs », rétorque Pacha.

Kuzco refuse. Il décide donc de rentrer à pied, tout seul, malgré les dangers qui le guettent dans la jungle.

Kuzco se rend bientôt compte que la jungle est plus terrifiante qu'il ne le pensait.

« Aaaaah ! » sursaute-t-il lorsqu'un petit écureuil surgit devant lui. « Va-t-en ! » hurle Kuzco, en poursuivant son chemin.

Un peu plus loin, Kuzco trébuche et tombe au milieu d'une meute de panthères affamées. Kuzco s'enfuit, mais il se retrouve au bord d'une falaise, cerné par les panthères.

Heureusement pour Kuzco, Pacha s'est inquiété pour lui et l'a suivi. En lançant un puissant *Aaaaaaaaah,* Pacha s'élance et sauve Kuzco.

Mais le sauvetage se termine mal. Pacha et Kuzco s'enroulent autour d'une branche sur le point de casser ! *CRAC !* Ils tombent dans la rivière au pied de la falaise. Kuzco n'est *pas du tout* heureux.

Pacha et Kuzco sont entraînés par les eaux turbulentes, jusqu'à ce que Pacha réussisse enfin à hisser Kuzco hors de l'eau. Kuzco est inconscient et Pacha croit qu'il devra le ranimer en lui faisant le bouche-à-bouche. *Beurk !* Mais à sa grande joie, Kuzco reprend ses esprits, sans que le bouche-à-bouche ne soit nécessaire.

Pendant ce temps au palais, Yzma est furieuse. Kronk vient de lui annoncer que Kuzco n'est pas vraiment mort.

« Nous devons le trouver ! » crie-t-elle. « S'il parle, nous sommes finis ! »

Dans la jungle, Kuzco et Pacha grelottent devant un petit feu. Lorsque Pacha offre son poncho au lama trempé et grelottant, la gentillesse du paysan étonne Kuzco. Mais l'empereur continue néanmoins de mentir à Pacha. Il lui dit qu'il a décidé de ne pas détruire le village.

Kuzco et Pacha concluent l'entente d'une poignée de main. Pacha, qui fait confiance à Kuzco, accepte de le conduire au palais.

Le lendemain, à l'approche du palais, Pacha tombe dans un trou sur un pont. S'agrippant à une corde, il supplie Kuzco. « Vite, aidez-moi ! »

« Non », répond Kuzco. « Je ne crois pas. » Il se fiche de Pacha, et il n'a jamais eu l'intention de tenir sa promesse de sauver son village.

« Vous m'avez menti ? » demande Pacha.

« C'est ça, tu as tout compris », réplique Kuzco.

Soudain, le pont cède sous Kuzco. « *Aaaaaaaah!* » crie l'empereur, suspendu au-dessus de la rivière avec Pacha. Pacha et Kuzco doivent unir leurs efforts pour se sortir de là. Lorsqu'ils atteignent le haut de la falaise, le bord cède ! Pacha se met à tomber ! Rapidement, Kuzco lui tend la main et le ramène vers lui. « Vous m'avez sauvé la vie », dit Pacha à Kuzco. « Il n'y a pas que du mal en vous, à ce que je vois. »

Après toutes ces aventures, Pacha et Kuzco sont affamés. Ils se rendent à un restaurant de la jungle, mais les lamas ne sont pas admis à l'intérieur. Pacha déguise Kuzco et le fait passer pour son épouse !

Évidemment, Kuzco n'est pas satisfait de la nourriture et il va enguirlander le cuisinier. À ce moment, Yzma et Kronk entrent dans le restaurant. Pacha les entend discuter de leur plan en vue de tuer l'empereur !

Vif d'esprit, Pacha dit à la serveuse que c'est l'anniversaire de Yzma. Pendant que les serveurs chantent et félicitent Yzma, Pacha en profite pour sortir furtivement du restaurant avec Kuzco, qui ne se doute de rien.

Pacha décrit à Kuzco le couple étrange qu'il a vu au restaurant.

« Ma foi, il s'agit de Yzma et Kronk ! » s'écrie Kuzco. « Je suis sauvé. »

« Ils veulent vous tuer », lui signale Pacha. Mais Kuzco ne le croit pas et court trouver Yzma. Kuzco entend toutefois des bribes de conversation entre Yzma et Kronk. « Pacha avait raison ! » se dit-il. Mais le paysan est parti maintenant.

Malheureusement, Kronk avait aperçu Pacha dans le restaurant et s'était souvenu de lui. « C'est lui qui a transporté le lama dans son chariot », confie-t-il à Yzma.

« Si nous trouvons le paysan, nous trouverons le lama », déclare Yzma. Kronk et Yzma se rendent aussitôt au village de Pacha et entrent chez lui en se faisant passer pour de lointains cousins.

« Mais oui, je suis la grand-tante de la nièce de la femme du frère de son cousin », ment Yzma à Chicha, la femme de Pacha.

Pendant ce temps, Pacha et Kuzco se sont retrouvés et réconciliés. En retournant chez Pacha chercher des approvisionnements, ils voient Yzma et Kronk par une fenêtre.

Pacha réussit à attirer l'attention de Chicha à l'insu de Yzma et Kronk. Il lui demande de distraire ses invités afin que Kuzco et lui puissent arriver au palais avant eux.

La femme et les enfants de Pacha enferme Yzma dans une chambre... et quand elle parvient à se libérer, Yzma est accueillie par une pluie de miel et de plumes !

Mais Yzma
n’a pas l’intention
d’abandonner !

Kronk et elle se lancent à la poursuite
de Pacha et Kuzco dans la jungle.

Rien ne semble vouloir l'arrêter ! Par chance, la foudre s'en charge !

Lorsqu'ils arrivent enfin au palais, Pacha et Kuzco se précipitent au laboratoire de Yzma pour trouver une potion qui redonnera à Kuzco sa forme humaine. Mais il y a des tas et des tas de fioles remplies de toutes sortes de potions. Tandis qu'ils cherchent, Yzma et Kronk surgissent.

« Achève-les ! » ordonne Yzma à Kronk.

Mais Kronk est hésitant.

Yzma perd patience et tire sur un levier.

« Oups ! J'aurais dû voir venir le coup », dit Kronk, en tombant dans un puits profond.

Yzma appelle ensuite ses gardes pour qu'ils se débarrassent de Pacha et Kuzco. Les deux amis sont en réel danger. Ils se mettent à lancer des fioles de potions vers les gardes.

POUF! POUF! POUF! POUF! POUF!

Les gardes se changent en phacochère, en lézard, en vache, en autruche et en pieuvre ! Mais les ennuis de Pacha et Kuzco sont loin d'être terminés.

« Attrapez-les ! » crie Yzma aux gardes.

La poursuite les amène dehors, à l'avant du palais. Pacha et Kuzco grimpent sur une saillie. Il leur reste deux fioles. Yzma parvient toutefois à leur faire échapper les fioles. En se précipitant pour les récupérer, Yzma et Kuzco entrent en collision.

Yzma tombe sur une fiole. *POUF !* Elle est aussitôt changée en chaton furieux.

« Je vais boire celle-ci », dit Kuzco en prenant la dernière fiole.

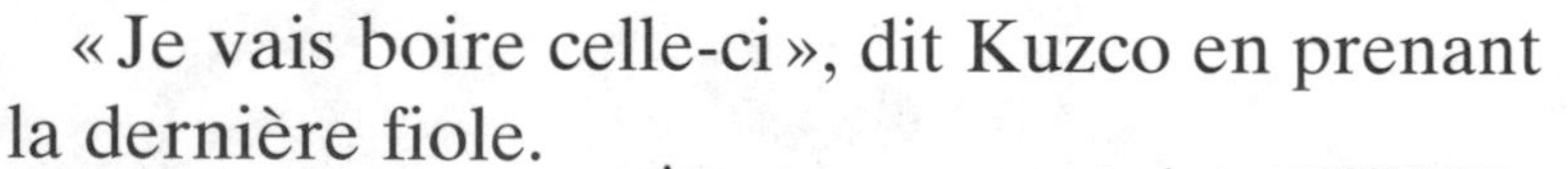

Mais le chat Yzma saute sur sa tête. En tentant d'enlever le chat de la tête du lama, Pacha trébuche et tombe en bas de la saillie.

Pacha s'agrippe désespérément au rebord. « Buvez la potion ! » crie-t-il à Kuzco.

La fiole est tout près de Kuzco, mais Pacha a besoin d'aide. Plutôt que de saisir la fiole, Kuzco saisit Pacha.

Pacha n’arrive pas à croire que Kuzco l’a sauvé au lieu de boire la potion. C’est la deuxième fois que Kuzco a un geste de bonté — dans les deux cas envers son ami Pacha.

Mais la potion est maintenant entre les mains du chat Yzma. « J’ai gagné ! » crie-t-elle. Tout espoir de récupérer la potion semble maintenant envolé.

À ce moment, Kronk ouvre une porte et écrase Yzma derrière celle-ci. Yzma échappe la fiole. Pacha l'attrape et la remet à Kuzco qui en boit aussitôt le contenu. *POUF !* Le lama redevient le jeune empereur !

Aussitôt, Kuzco se met à étudier la maquette de sa résidence d'été.

L'empereur est reconnaissant envers Pacha. Non seulement ce dernier l'a-t-il aidé à retrouver sa forme humaine, il lui a également appris que la bonté et l'amitié sont les deux choses les plus précieuses au monde.

Ainsi, quand Kuzco fait construire sa résidence d'été, il ne s'agit plus d'un immense domaine, mais plutôt d'une modeste hutte sur la colline, près du village de Pacha.

Pacha, sa famille et ses amis célèbrent leur nouvelle amitié avec l'empereur Kuzco.

Kronk est également de la fête. Il devient chef scout de tous les enfants du village de Pacha — et Yzma le chat est la mascotte de sa troupe !